Jop is piraat

Isabel van Duijne

Maretak

Schelpjesboeken zijn bestemd voor kinderen die net kunnen lezen. De boeken vormen een overgang van het prentenboek naar het leesboek: de illustraties vormen een wezenlijk onderdeel van het verhaal. Auteur en illustrator zien het als een uitdaging om een *Schelpjesboek* tot een stimulerende leeservaring te maken.

Tekst en illustraties: Isabel van Duijne
Vormgeving: Gerard de Groot
ISBN 90 437 0133 5
NUR 140
AVI 2

1 Jop heeft een boot

Jop is vrij van school.
heel lang.
hij woont bij een sloot.
in de sloot ligt de boot van Jop.
Jop heeft zijn zwembroek aan.
hij wil in zijn boot.
maar de boot is oud.
er zit een gat in.
het wordt steeds nat in de boot.

Jop roept pappa.
'de boot moet uit de sloot', zegt Jop.
'ik maak de boot weer heel.'
ze trekken de boot uit de sloot.
dat is zwaar.
maar pappa en Jop zijn sterk.

de boot is erg vies.
'eerst moet de boot schoon', zegt Jop.
'doe je best', zegt pappa.
hij gaat weer naar binnen.
Jop vult een emmer met sop.
het sop ruikt lekker.
Jop boent.
de boot wordt mooi schoon.
nu moet het gat dicht.
Jop zoekt in de schuur.
hij pakt hout en spijkers.
hij timmert hout op het gat.
'zo is het goed', zegt Jop.

pappa roept uit het raam.
'de soep staat klaar!'

Jop gaat naar binnen.
mmm soep.
er is vla toe.

na de vla moet Jop naar bed.
pappa leest een boek voor.
een boek met een piraat er in.
de piraat rooft.
het is heel spannend.
het boek is uit.
'slaap lekker', zegt pappa.
'tot morgen', zegt Jop.

2 een mooie droom

Jop slaapt.
hij droomt.
hij droomt dat hij een piraat is.
hij vaart met een groot schip op zee.
hij is op zoek naar een schat.
een schat op een eiland.

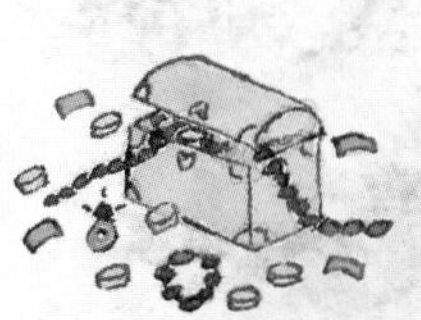

het is al licht.
Jop wordt wakker.
jammer.
de droom was zo mooi.
dan denkt hij aan zijn boot.
gauw kleedt hij zich aan.
'ontbijt!' roept pappa.
maar Jop heeft geen tijd.
hij moet naar zijn boot.

hij zoekt in de schuur.
hij pakt wat spullen.
een doek, een stok, verf, een kwast,
en iets wat lijkt op een draak.
Jop is heel de dag aan het werk.
pappa roept steeds.
maar Jop roept:
'geen tijd!'
'nu niet!'
'straks!'
'ik kom zo!'

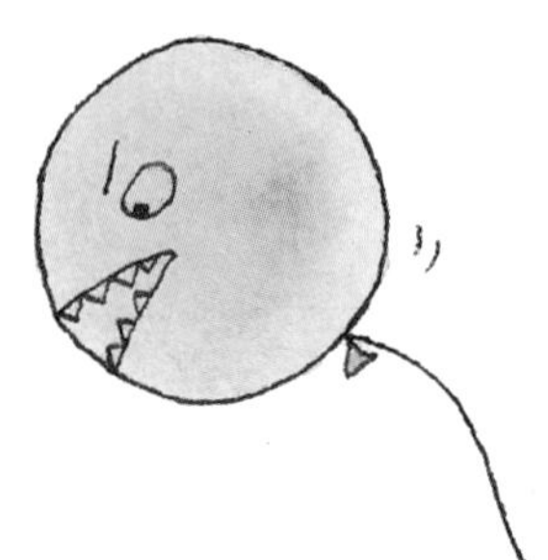

het is al laat.
Jop is klaar.
hij rent naar binnen.
pappa moet het zien.
'zo', zegt pappa.
'die boot is heel mooi.'
'het is geen boot meer', zegt Jop.
'het is een schip.

een schip van een piraat.
en die piraat ben ik.'
'nou moet je naar binnen', zegt pappa.
'een piraat eet ook.'
'wat eet een piraat dan?' vraagt Jop.
'bloemkool met worst', zegt pappa.
mmm worst.
'morgen ga ik met de boot in de sloot',
zegt Jop.
'het schip is niet meer lek.'

3 een lik van Rik

Jop is vroeg op.
pappa slaapt nog.
Jop zoekt in een kist.
hij pakt er een oude broek uit.
en een zwarte lap voor zijn oog.
en een hoed en een zakdoek.
nu ziet hij er uit als een piraat.

Jop loopt naar de keuken.
hij legt een briefje neer voor pappa:

lieve pappa,

ik ga weg met mijn schip.
ik vaar naar het meer.
ik zie je straks weer.

Jop de piraat

dan stopt hij zijn tas vol.
met brood, worst, koek, sap,
een appel en snoep.
Jop gaat naar buiten.
hij doet de tas in het schip.
nu moet het schip naar de sloot.
het is erg zwaar.
wat nu?
hij kan pappa niet roepen.
pappa slaapt uit.

Jop loopt de tuin uit.
aan de kant van de sloot ziet hij een hond.
de hond is dun.
hij heeft vast geen baas, denkt Jop.
Jop aait de hond.
'hij is braaf', zegt Jop.

'hoe heet je?'
de hond geeft Jop een lik.
'bah', zegt Jop.
'weet je wat?
ik noem je Rik.
dat rijmt op lik.'

Jop gaat terug naar de tuin.
Rik loopt mee met Jop.
hij vindt Jop lief.
Jop pakt een stuk worst uit zijn tas.
hij geeft de worst aan Rik.
Jop krijgt weer een lik.
'bah.'

Jop heeft een plan.
hij rommelt in de schuur.
hij vindt een touw.
Jop maakt het touw vast aan zijn schip.
hij geeft het touw aan Rik.

‘toe dan Rik, hij is braaf!’ roept Jop.
Rik is wel klein, maar best sterk.
hij trekt het schip uit de tuin.
Jop helpt mee.
het lukt.
het schip ligt in de sloot.
‘goed zo Rik’, zegt Jop.
‘wil je mee in mijn schip?’
Jop bindt de zakdoek om de nek van Rik.
‘nu ben je ook piraat’, zegt Jop.
hij krijgt weer een lik.
Jop duwt Rik in het schip.
Rik vindt het best.
Jop stapt ook in het schip.
hij roeit door de sloot.

4 op het meer

na een tijdje heeft Jop trek.
hij neemt een broodje.
Rik krijgt een stuk worst.
aan het eind van de sloot is het meer.
wat groot, denkt Jop.
maar Jop roeit door.
naar het meer.

wat moet ik nu doen? denkt Jop.
een piraat rooft.
hij ziet een meisje in het meer zwemmen.
haar tas staat aan de kant.
weet je wat? denkt Jop.
ik roof de tas.
Jop vaart vlak langs de tas.
de tas is mooi.
Jop vaart voorbij.

dan keert hij om.
hij vaart nog een keer langs de tas.
Jop durft de tas niet te pakken.
Rik geeft hem een lik.
'niet doen', zegt Jop boos.
hij veegt zijn wang af.
Jop vindt het niet meer leuk.
een piraat die niet rooft.
een piraat zonder schat.
'ik ben een piraat van niks', zegt hij.

dan ziet hij in de verte een eiland.
Jop vaart er naar toe.
hij maakt het schip vast aan de kant.
'kom Rik', zegt Jop.
Jop neemt zijn tas mee.
hij gaat op het mos zitten.
hij eet zijn snoep.
spekjes, drop en zuurtjes.

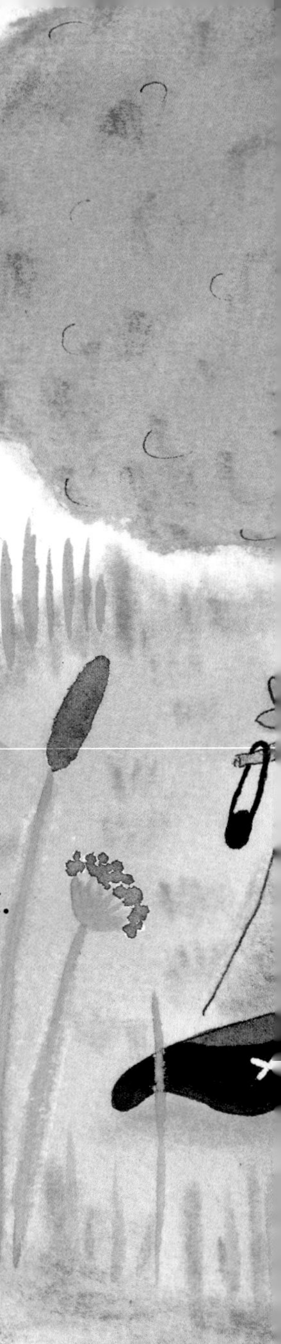

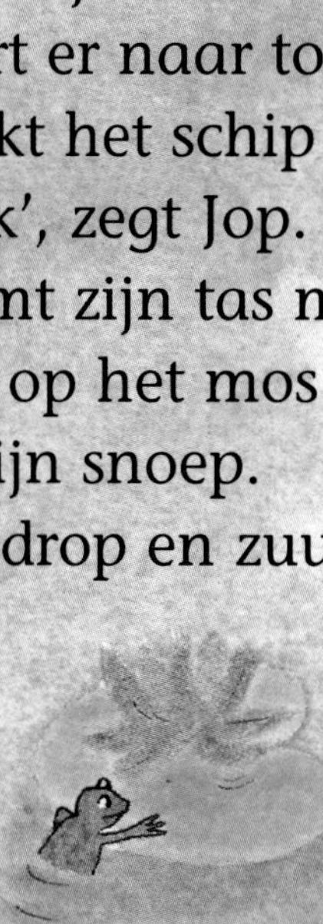

hij geeft Rik de appel.
maar die wil Rik niet.
hij houdt niet van appels.

5 een echte piraat

Rik snuffelt met zijn neus op de grond.
hij duwt zijn snuit in de aarde.
hij graaft.
hij blaft en gromt.
'wat is er Rik?' vraagt Jop.
'wat heb je daar?'
Jop graaft ook.
nu ziet Jop iets.
het lijkt op een zak.
Jop trekt en trekt.
Rik trekt ook.
uit de grond komt een zak.
de zak is best zwaar.
is het iets vies'?
is het iets engs?

om de zak zit een touw.
Jop maakt het touw los.
hij durft niet te kijken in de zak.
maar dan voelt Jop zich weer piraat.
een piraat is stoer.
hij durft.
hij kijkt in de zak.
'een schat!' roept hij.
'ik heb een schat!
ik ben een echte piraat met een schat.'
Jop is heel blij.

Jop kijkt nog eens goed in de zak.
het glimt.
er zit geld in.
messen en vorken van zilver.
een ring van goud.
een ketting van steentjes.
een klok en een armband.
en nog veel meer.

dan hoort Jop iets.
het ritselt.
Rik gromt.
Jop is bang.
is er een dief?

6 een kluif voor Rik

het is geen dief.
het zijn pappa en de buurman.
de buurman heeft zijn pet op.
hij heeft zijn blauwe pak aan.
de buurman is agent.
pappa kijkt boos.
'Jop!' zegt hij.
'ik zocht je
door heel het huis.
toen vond ik je briefje in de keuken.
ik schrok er van.
het meer is veel te ver weg.
het meer is ook veel te diep.
ik ben blij
dat buurman ook een boot heeft.
en dat hij je schip zag bij het eiland.
dit mag je nooit meer doen.'

Jop kijkt sip.
maar dan ziet de buurman de schat.
'hee', zegt hij blij.
'dat is de buit.
de buit van de dief.
de dief heb ik al.
maar de buit was kwijt.
wat goed van jou, Jop.'
Jop kijkt trots.

ze gaan in de boot van de buurman.
de buurman neemt de buit mee.
pappa maakt het touw vast van het schip.
Rik zit in het schip.
pappa is niet meer boos.
hij is blij dat Jop er weer is.

als ze thuis zijn zegt de buurman:
'nou mag je wat wensen.
omdat je de buit vond van de dief.
zeg maar wat je wilt.'
Jop denkt na.
'ik wil dat Rik bij me blijft.'
'oei', zegt de buurman.
hij kijkt naar pappa.
'oei', zegt pappa.
'nou, vooruit dan.
maar ga nooit meer zo ver weg.'

Rik geeft pappa een lik.
'bah', zegt pappa.
de buurman geeft Jop geld.
'koop maar een kluif voor Rik', zegt hij.
'dank u wel', zegt Jop blij.

'nou moet ik gaan', zegt de buurman.
'ik heb werk te doen.
ik geef de buit vandaag nog terug.
wat zullen ze blij zijn.'
pappa dankt de buurman voor zijn hulp.
'tot ziens', zegt de buurman.
hij aait Rik.
en Rik geeft de buurman een ...
'bah', zegt de buurman.

50
100
100
100
25
500
100